Colección Juvenil.es
LECTURAS GRADUADAS

LUNAS UNO
EN LA PATAGONIA
Flavia Puppo

I

II

III

IV

V

VI

VII

VIII

IX

X

100 puntos

Colección *Juvenil.es*

LECTURAS GRADUADAS

Primera edición, 2010
Segunda edición, 2013
Tercera edición, 2014
Cuarta edición, 2018

Produce:
SGEL – Educación
Avda. Valdelaparra, 29
28108 Alcobendas (MADRID)

© Del texto y las actividades:
Flavia Puppo
© De la presente edición:
Sociedad General Española de Librería, S. A., 2010
Avda. Valdelaparra, 29 – 28108 Alcobendas (Madrid)

Diseño de colección y maquetación:
Alexandre Lourdel
Ilustraciones:
Gonzalo Izquierdo
Grabación:
Crab Ediciones Musicales, S. A.

ISBN: 978-84-9778-575-4
Depósito legal: M-21230-2010
Printed in Spain – Impreso en España

Imprime V.A. Impresores, S.A.

◀ 1 Madrid, ESPAÑA

Francisco, de sobrenombre Paco, vuelve del colegio, abre el buzón[1] de su casa, y ve con sorpresa que hay una carta para él.

Francisco Quesada Ramos
Calle de Santiago, 9
28005 Madrid

Apoya la mochila[2] en el suelo y abre el sobre. La carta está escrita a mano y dice así:

---

[1] Buzón: Lugar donde se dejan las cartas.

[2] Mochila: Saco o bolsa que se lleva en la espalda.

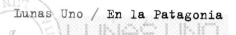

Querido Francisco:

En el mes de diciembre Lunas va a Puerto Madryn, en la Patagonia argentina. Si quieres venir con nosotros, tienes que completar la ficha con tus datos. Te enviamos también un folleto y una ficha de otro lunero.

Un abrazo
Director lunero

Paco sube las escaleras corriendo y entra en su casa. En una de sus dos casas, porque tiene la suerte de que su madre y su padre viven en dos pisos separados, a 5 minutos a pie.

—Mamá, carta de Lunas.

—Qué bien, hijo. ¿Qué dice?

—Que en diciembre vamos a la Patagonia.

—¿Estás aceptado?

—Tengo que escribir y rellenar esta ficha.

—¡Primeras Navidades sin padres!

—Ya soy mayor, mamá.

—Tienes razón, hijo.

Lunas es una Asociación Internacional que organiza campamentos[3] de verano e invierno para niños y niñas de 11 a 17 años de todos los países de lengua española. Todos los que participamos en Lunas somos «luneros».

Para organizarnos mejor, nos dividimos en grupos:[4]

- ● grupo Luna nueva: de 11, 12 y 13 años
- ▶ grupo Cuarto creciente: de 14 y 15 años
- ◗ grupo Luna llena: de 16 y 17 años
- ◖ grupo Cuarto menguante: monitores.

Nuestro próximo destino es: Puerto Madryn, Argentina.

Fechas: 15 de diciembre-6 de enero.

Si quieres ser un lunero, completa la ficha. Puedes enviarla por correo postal o por correo electrónico[5] a la siguiente dirección:

Asociación Lunas

Calle Neil Amstrong, 1 - 2071969 Selene - Galaxia

info@lunas.com

Te responderemos por correo electrónico. En el mensaje vas a ver la dirección de otro lunero. Tienes que ponerte en contacto con él o ella. Después, completa la ficha de tu nuevo amigo o amiga.

[3] Campamentos: Lugar o conjunto de instalaciones que sirven como alojamiento durante un periodo de tiempo.

[4] Los cuatro grupos tienen el nombre de las cuatro fases de la Luna.

[5] Correo electrónico: E-mail.

Después de la merienda,[6] Paco completa su ficha y la envía por correo electrónico. Ahora sólo tiene que esperar la respuesta. Con pocas horas de diferencia, Clara, Florencia, Nuria y Diego hacen lo mismo, cada uno en su país.

Bahía Blanca, ARGENTINA

Florencia entra en su correo electrónico. Tiene tres mensajes nuevos en su buzón, pero decide abrir primero el de Lunas.

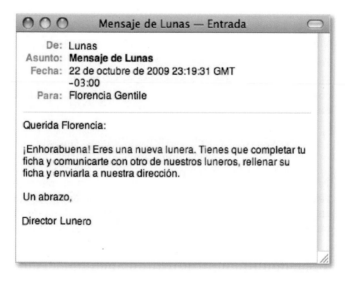

De: Lunas
Asunto: **Mensaje de Lunas**
Fecha: 22 de octubre de 2009 23:19:31 GMT
        −03:00
Para: Florencia Gentile

Querida Florencia:

¡Enhorabuena! Eres una nueva lunera. Tienes que completar tu ficha y comunicarte con otro de nuestros luneros, rellenar su ficha y enviarla a nuestra dirección.

Un abrazo,

Director Lunero

---

[6] Merienda: Comida que se toma hacia las cinco de la tarde.

MI FICHA LUNERA

Apellidos: Gentile

Nombre: Florencia

Grupo: Luna nueva

¿Tienes conexión a internet en tu casa? Sí

Correo electrónico:

f9bahiablanca@ballenas.com.ar

Tres razones para ser un lunero:

— Quiero conocer a chicos y chicas
de otros países.

— Me gusta mucho la naturaleza.

— Me encanta la aventura.

Florencia escribe un mensaje de correo electrónico:

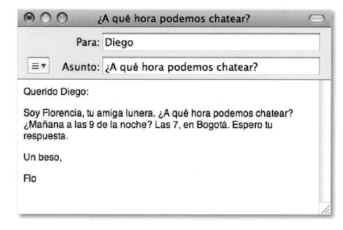

	¿A qué hora podemos chatear?	
Para:	Diego	
Asunto:	¿A qué hora podemos chatear?	

Querido Diego:

Soy Florencia, tu amiga lunera. ¿A qué hora podemos chatear? ¿Mañana a las 9 de la noche? Las 7, en Bogotá. Espero tu respuesta.

Un beso,

Flo

Bogotá, COLOMBIA

Diego recibe el mensaje y escribe:

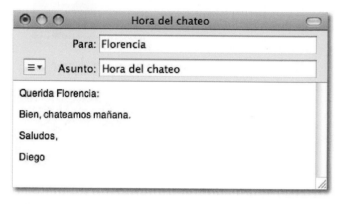

Bahía Blanca, ARGENTINA

Un día más tarde, Florencia ya tiene la ficha completa.

FICHA DE MI AMIGO/A LUNERO/A

Apellidos: Cortés Castañeda

Nombre: Diego

País: Colombia

Grupo: Luna nueva

Ciudad: Bogotá

Edad y grupo lunero: 11 años, Luna nueva

Deportes: fútbol y béisbol

Aficiones: escuchar música, hacer deporte y
mirar televisión. Le gusta la naturaleza.

Barcelona, ESPAÑA – D. F., MÉXICO

Nuria Lloret Sánchez, desde Barcelona, y Clara Villa Iturbide, desde Ciudad de México, encienden sus ordenadores y chatean.

Nuria 💬
Conectada: Clara
Nuria: Hola, Clara, soy Nuria.
Clara: Hola, Nuria. ¿De dónde eres?
Nuria: Española, de Barcelona. ¿Y tú?
Clara: Mexicana, del D. F.
Nuria: ¿El D. F.?
Clara: Sí, Distrito Federal, es la capital.
Nuria: ¿No es Ciudad de México la capital?
Clara: Sí, pero todos le dicen el D. F.
Nuria: ¿Vas al colegio?
Clara: Claro.
Nuria: Yo también. ¿Tienes hermanos?
Clara: Sí, pero son grandes.
Nuria: ¡Qué suerte! Yo soy hija única.
Clara: ¿Cuántos años tienes?
Nuria: 12. ¿Y tú?
Clara: Yo también. ¿Y qué te gusta?
Nuria: Me gusta dibujar, escuchar música, salir con mis amigas…
Clara: A mí me gusta dormir, mirar películas y leer novelas de aventura.

Clara y Nuria conversan durante más de una hora. Cuando en el D. F. son las cuatro de la tarde, en Barcelona son las once de la noche. Nuria tiene que acostarse y se despiden.

I

II

III

IV

V

VI

VII

VIII

IX

X

100 puntos

Paco

Madrid Barcelona
ESPAÑA

Nuria

Javier

Florencia

◀2   Un mes más tarde todos reciben una carta.

LUNAS

Querido/a lunero/a:

   ¿Ya tienes tu billete? Tienes que
   enviarnos los datos del vuelo para
   poder recogerte en el aeropuerto.
   Vas a llegar a Buenos Aires el
   15 de diciembre y vas a ver a
   una persona con un cartel muy
   grande de LUNAS. El grupo Cuarto
   menguante, los monitores, van a
   esperar a los demás luneros. Un
   autocar[1] de Lunas nos va a llevar a
   Puerto Madryn.

                    ¡Buen viaje!
                    Lunera Margarita

----

[1] Autocar: Autobús de larga distancia.

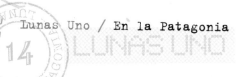
En noviembre Paco, Nuria, Diego y Clara tienen sus billetes de avión. Florencia no, porque vive a 690 km y su madre va a llevarla en coche.

El 15 de diciembre los aviones aterrizan sin problemas en Ezeiza, el aeropuerto de Buenos Aires. Hace sol, 22° y bastante humedad. Los vuelos procedentes de Europa llegan por la mañana, muy temprano. En la cola de los pasaportes Paco y Nuria se reconocen de inmediato.

—Hola, tú debes ser Paco, ¿no?

—Sí, y tú Nuria.

Paco y Nuria se dan dos besos y se saludan. Nuria es más alta que Paco y tiene aspecto de persona mayor. Paco es moreno, pequeño y tímido. Se observan un momento, nerviosos.

—¡Tenía muchas ganas de conocerte! —dice Nuria.

Paco se pone colorado, pero le responde.

—Yo también.

Frente a la puerta de salida se encuentra Margarita con un enorme letrero de Lunas. Los niños recogen sus mochilas y cuando salen miran ansiosos en todas las direcciones hasta que ven el cartel.

—Ahí están, grita Paco.

—¡Bienvenidos, luneros! —les dice Margarita.

—¡Gracias, lunera!

Se ríen y todos están contentos.

—¿Qué hacemos? —pregunta Nuria.

—Ahora nos vamos a la ciudad, damos un paseo y esperamos a Diego y a Clara. Ellos llegan más tarde.

—¿Y el autocar que nos lleva a Puerto Madryn? —pregunta tímidamente Paco.

—Nos espera en el centro. Salimos a las cinco de la tarde.

II

III

IV

V

VI

VII

VIII

IX

X

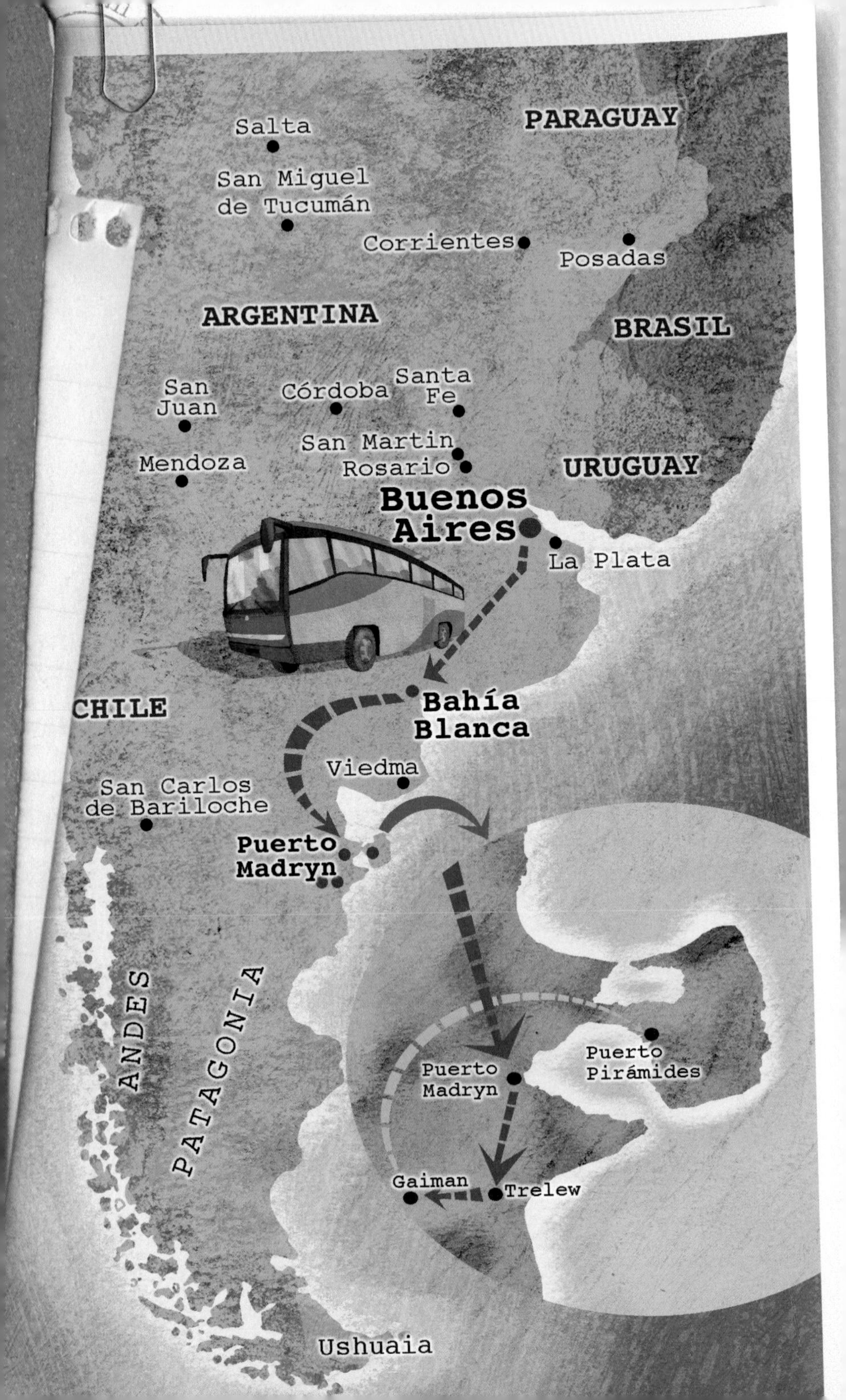
PARAGUAY
Salta
San Miguel de Tucumán
Corrientes
Posadas
ARGENTINA
BRASIL
San Juan
Córdoba
Santa Fe
San Martin
Rosario
Mendoza
URUGUAY
Buenos Aires
La Plata
CHILE
Bahía Blanca
Viedma
San Carlos de Bariloche
Puerto Madryn
ANDES
PATAGONIA
Puerto Madryn
Puerto Pirámides
Gaiman
Trelew
Ushuaia

A las cinco de la tarde en punto, Margarita, Nuria y Paco están en Plaza Congreso. Hay un cómodo autocar que pone Lunas, y algunos chicos y chicas que guardan su equipaje[1] en el maletero.[2]

Son de los grupos Cuarto creciente y Luna llena, porque son todos muy altos y da la impresión de que no es su primer viaje.

Nuria no duda y se acerca al más guapo de todos.

—Hola, yo soy Nuria.

—Hola, Javier.

—Eres argentino, ¿verdad?

—No, soy español pero vivo en Buenos Aires. ¿Estás en nuestro grupo?

Nuria se pone colorada y le dice que no, que sólo es de Luna nueva.

—Ah, eres de los pequeños —contesta Javier.

[1] Equipaje: Maletas, bolsas y mochilas.

[2] Maletero: En un coche o autobús, espacio para guardar el equipaje.

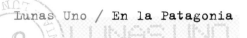

Nuria se siente algo decepcionada. «¡Qué bien tener 14 años!», piensa.

Pocos minutos más tarde llega Alejandro, el otro monitor lunero acompañado de Diego y Clara. Presentaciones, besos y gritos de alegría.

—¡Bueno, ahora sí estamos todos! —dice Margarita.

—Todos arriba —dice Alejandro.

El autocar sale a las cinco y cuarto. Diego y Paco se sientan juntos, escuchan música en sus lectores de MP3 y se quedan dormidos. Nuria y Clara se sientan juntas y hablan largo rato.

Les espera un viaje muy largo, de 16 horas, hasta Puerto Madryn. Pero el autocar es muy cómodo: tiene aire acondicionado, bebidas para el trayecto y hasta lavabo.[3] A las nueve de la noche paran a cenar en un restaurante de la carretera.

Nuria mira a Javier y suspira, pero Javier se sienta al lado de una chica pelirroja y hablan toda la cena. Paco y Diego se sientan con sus nuevas amigas y hablan del viaje en avión, mientras comen con ganas una milanesa[4] con papas fritas y ensalada.[5]

—Delicioso —comenta Diego.

[3] Lavabo: Se usa para referirse al servicio, váter o baño.

[4] Milanesa: Filete de carne pasado por huevo, pan rallado y luego frito.

[5] Milanesa con papas fritas y ensalada: Es un plato muy común en Argentina.

III
IV
V
VI
VII
VIII
IX
X

100 puntos

—Para mí esto se llama escalope —agrega Paco.

—Creo que vamos a aprender mucho español en este viaje —dice Nuria.

Los cuatro se ríen mucho.

———✦———

A las diez de la mañana el autocar llega a Puerto Madryn y para en la costanera.[6] El mar está azul y brillante, y sopla una brisa suave y fresca.

La ciudad se encuentra en la provincia de Chubut, a 1400 km de Buenos Aires, la capital, y se considera la puerta de entrada a la Península Valdés, famosa por la variedad de su fauna y sus maravillosos paisajes.

Los luneros se despiertan y ven maravillados que ya han llegado.

En la parada los espera una delegación de Lunas y nuevos monitores.

Nuria, Clara, Paco y Diego bajan del autocar y ven a una niña de su edad que espera impaciente.

—Seguro que es Florencia —grita Clara.

Florencia tiene el pelo castaño y los ojos grises. Está morena porque vive en la costa.

—¡Bienvenidos, luneros! —dice a modo de saludo.

....

[6] Costanera: Sinónimo de «paseo marítimo». Calle que sigue la costa en la ciudades con mar.

....

—¡Qué suerte tienes de vivir cerca de aquí! —exclama Clara, que escucha a sus padres protestar por la contaminación del D. F.

—¡No tan cerca![7] —contesta Florencia riendo.

Margarita, Alejandro, Emilia y Feliciano, los monitores, toman la palabra.

—¡Luneros, empieza la aventura! —dice Emilia.

—Ahora que estamos todos, podemos ir a Punta Tombo, donde está nuestra casa —sigue Alejandro.

Los luneros estallan en un aplauso. En total son treinta niños y cuatro monitores.

....

[7] Florencia vive en Bahía Blanca, que está a casi 700 km de Puerto Madryn.

—¿Por qué los lugares tienen nombres tan raros? —pregunta Paco.

—¿Lo dices por Puerto Madryn? —pregunta Margarita.

—Sí, y por Trelew, la capital de la provincia —añade Nuria.

—Pues porque esta zona está fundada por galeses —explica Margarita.

—¿Galeses de Gales? —dice Clara.

—Sí. Y nuestra última excursión va a ser a Gaiman, que es un pueblo galés que ha mantenido sus edificios originales y sus costumbres.

—¡Qué divertido! —exclama Nuria.

—Y vamos a tomar un típico té galés —continúa Margarita.

—A mí no me gusta el té —dice Clara.

—No te preocupes, que lo importante son el pan, la torta galesa y los dulces —responde Margarita.

◀4   —A desayunar —propone Feliciano.

En uno de los bares de la costanera hay una enorme mesa, con vista al mar, preparada para ellos: leche, pan fresco, mantequilla, mermelada, dulce de leche,[1] cereales, yogures, fruta y medialunas[2] se agrupan en enormes bandejas. Un cartel con los nombres de los luneros les indica el lugar que ocupan en la mesa. Están divididos por grupos, cada uno con un monitor.

—A partir de ahora yo seré vuestra monitora —dice Margarita— y Feliciano es nuestro monitor de emergencias. Al terminar el desayuno vamos a nuestra casa.

—¿Está lejos? —pregunta Florencia.

—A 180 km —responde Margarita.

—Está cerca —dice aliviada Florencia.

—¡Huy, qué lejos! —suspiran Paco y Clara.

....

[1] Dulce de leche: Típico dulce argentino, hecho con leche de vaca, azúcar y un poco de bicarbonato. Se come con pan o con galletas.

....

[2] Medialunas: Bollos con forma de media luna. Son dulces o saladas.

....

—Bueno, como les decía, vamos a llegar a la casa. Paco y Diego, dormís juntos; Clara, Nuria y Florencia, compartís habitación.

—¿Tenemos baño privado? —pregunta Clara.

Clara es un poco consentida[3] y le da miedo la falta de comodidad. Sus nuevos amigos la miran de reojo.[4]

—No, Clara. Hay cinco cuartos de baño en toda la casa. Hay que ser rápido y cuidadoso.

Esta vez Clara no hace comentarios. Piensa que no vale la pena: el sitio es maravilloso, sus amigos son encantadores y su monitora, muy simpática.

—Esta noche —explica Margarita—, os vamos a contar las actividades que vamos a realizar. Paseos, juegos, excursiones, campeonatos y…

Los niños están expectantes, con la boca abierta.

—¡Y… pingüinos!

—¡Qué chévere![5] —dice Diego.

Es la primera vez que Nuria, Paco, Clara y Florencia escuchan esa palabra.

—¡Chévere! —dicen a coro.

....

[3] Consentida: Caprichosa.

[4] De reojo: De lado.

[5] ¡Qué chévere!: Esta expresión se usa en Colombia, Venezuela y en casi todos los países de América Central. Expresa algo positivo.

V

◀ 5 En Punta Tombo el atardecer es maravilloso. El sol no se pone en el mar, pero la luz es muy especial. En la Patagonia los cielos son casi lunares y los niños observan fascinados el paisaje mientras deshacen sus mochilas. Las chicas tienen mucha más ropa que los chicos: camisetas, pantalones cortos y largos, zapatillas, trajes de baño, sombreros, sandalias y… vestidos y faldas para los eventos especiales.

—Hoy me pongo un vestido —dice Nuria mirándose al espejo del armario.

—Por algo será —le contesta Clara sonriendo y guiñándole un ojo.

A las ocho y media todavía es de día. Falta poco para la llegada del verano, el 21 de diciembre, y en esa latitud los días son muy largos.

—Qué raro comer[1] con sol —dice Diego—. A estas horas en Bogotá ya es de noche.

—Y en Madrid hace un frío que te mueres —apunta Paco.

....

[1] Comer: En Colombia «comer» quiere decir «cenar».
....

Después de cenar se reúnen todos en el jardín y los luneros de Cuarto menguante, los monitores, toman la palabra.

—Mañana vamos a visitar la reserva de pingüinos —anuncia Alejandro.

—Y es muy importante no tocar ni los nidos ni los animales —continúa Feliciano.

Una expresión de desilusión se instala en las caras de los niños.

—Pero… este año tenemos una novedad —sigue Emilia.

Todos escuchan en silencio y abren muy grandes los ojos.

—Es una novedad desagradable, porque con el cambio climático están pasando cosas raras. Normalmente los pingüinos llegan a Punta Tombo en septiembre, ponen sus huevos, nacen las crías y se marchan en marzo.

—¿Cuántos son? —pregunta Javier, que está a pocos metros, al lado de la pelirroja.

Nuria lo mira y se pone colorada.

—Este año, unos 50.000 machos. Cuando se van con los pequeños son casi un millón.

Se escucha un fuerte suspiro de admiración.

Margarita toma la palabra.

—Bueno, el caso es que cuando llegan, los guardafaunas encuentran cada vez más animales empetrolados.

—¿Qué quiere decir empetrolados? —pregunta la pelirroja. Es una chica muy guapa, de unos 15 años y con un acento raro. María Silvia es «tica», es decir, de Costa Rica,[2] pero ahora vive en Santiago de Chile.

—Quiere decir que su cuerpo está cubierto de petróleo —responde Feliciano.

—¡Pobrecitos! —exclama Florencia.

—Sí, pobrecitos —confirma Alejandro—. Para desempetrolarlos hay que lavarlos, darles vitaminas, darles de comer y cuidarlos un poco.

—¿Y se recuperan? —pregunta uno de Luna llena.

—Por lo general sí, pero hay que actuar con rapidez. Esto pasa en septiembre, cuando llegan, pero con el cambio climático los animales están despistados[3] y llegan también en octubre, en noviembre y en diciembre —concluye Emilia.

—Por eso están acá Martín y Eva —dice Alejandro con un fuerte acento argentino—. Ellos son dos guardafaunas de la reserva.

Los niños giran la cabeza y ven a los recién llegados. Son jóvenes y parecen simpáticos.

A las once cada lunero va a su habitación. Es hora de dormir. Todos se van a la cama pensando en desempetrolar pingüinos.

....

[2] Tico/a: Los nacidos en Costa Rica son costarricenses, pero se les llama «ticos».

....

[3] Despistados: Desorientados.

....

A las ocho de la mañana los monitores de Cuarto menguante llaman a las puertas de las habitaciones.

A las ocho y media todos los grupos de luneros están en la terraza de la casa tomando el desayuno.

—¿Y después qué hacemos? —pregunta Clara mientras prepara una tostada con dulce de leche. En México también existe, pero es un poco diferente.[1]

—Luego vamos a visitar la reserva. Para muchos de vosotros es la primera vez que veis pingüinos… —explica Margarita.

Nuria no presta atención porque Javier está muy cerca de ella. «¿Y la pelirroja?» —se pregunta. Gira la cabeza y mira con atención en todas las direcciones. María Silvia está al final, algo alejada y con cara de enfado.

Florencia se da cuenta de que su amiga está distraída:[2]

---

[1] Dulce de leche: En México se llama «cajeta» y se hace con leche de cabra. En Colombia se llama «manjar blanco».

[2] Está distraída: No está prestando atención.

—Che,[3] está hablando… —dice dándole un codazo.

Nuria sabe que no está escuchando a Margarita que explica las actividades del día.

—Sí, sí, tienes razón —contesta nerviosa.

⁂

Punta Tombo es una franja de tierra estrecha que penetra en el mar. El suelo es pedregoso[4] y el declive[5] de las playas facilita a los pingüinos la construcción de sus nidos.

[3] Che: Se usa en Argentina para llamar la atención de otra persona.

[4] Pedregoso: Con piedras.

[5] Declive: Terreno inclinado.

Martín y Eva, los guardafaunas, pasan a buscar al grupo para guiarlos por la reserva. El aire está fresco aún, pero el sol de diciembre es fuerte.

—No hay que tocar los nidos, chicos —dice Eva.

—¿Por qué? —pregunta Diego, lleno de entusiasmo.

—Porque atacan —responde Eva.

—Vamos a caminar por esta pasarela de madera —apunta Emilia.

El pingüino de Punta Tombo se conoce con el nombre de pingüino magallánico o del Sur, y mide entre 70 y 76 cm de altura. Tiene plumas negras en la espalda y blancas en la barriga. Y un doble collar en el cuello.

—¿Vuelan? —pregunta Nuria mientras andan por la pasarela y miran los nidos.

VI

VII

VIII

IX

X

100 puntos

—No —responde Emilia—, pero saben nadar.

—¿De dónde vienen? —dice Javier guiñándole un ojo a Nuria.

Nuria se pone roja como un tomate, pero el sol le permite disimular. Alza[6] la mirada y le sonríe.

—Vienen de Brasil y nadan más de 3000 km para llegar aquí —explica Martín.

—Eva, ¿y por qué los pequeños tienen otro color? —pregunta Diego.

—Porque no tienen sus plumas definitivas —responde la guardafaunas.

—¿Qué comen? —pregunta Paco.

—Peces y otros animales acuáticos —contesta Emilia.

—¿Y quiénes lo atacan? —dice Florencia con curiosidad.

—Los zorros, los armadillos, las gaviotas… —responde Alejandro.

—Ah, un dato curioso —añade Margarita—, son monógamos, es decir, que los machos sólo tienen una hembra y forman familias estables.

—¿Cuánto tiempo tardan en incubar los huevos? —pregunta Clara con aire de niña inteligente.

—Unos cuarenta días —informa Feliciano.

....

[6] Alza: «Alzar» es sinónimo de «levantar».
....

—Y además los incuban los machos y las hembras. Se reparten el trabajo —agrega Martín.

—¡Qué modernos! —exclama Florencia.

Los niños se sienten fascinados ante la enorme cantidad de animales y hacen mil preguntas sobre su forma de vida.

—Última pregunta —anuncia Clara.

—Vale —contesta Margarita riéndose—. Es tarde y tenemos que ir a comer…

—¿Por qué están empetrolados?

—Porque el camino que recorren en su viaje coincide con las rutas de los barcos de petróleo…

—Y nosotros, ¿qué tenemos que hacer? —pregunta Paco.

—Eso lo vais a saber después de comer. ¡Ahora, vamos a casa!

Los chicos no sienten ni hambre ni calor. Para Nuria y Paco es pronto, porque en España se come a las dos o dos y media de la tarde. Para Diego, es tarde, porque en Colombia se almuerza[7] más temprano. Pero cuando llegan

----

[7] Se almuerza: «Comer» y «almorzar» son sinónimos, excepto en Colombia.

a la casa y sienten el olor a carne asada[8] a todos se les abre el apetito.

Cuando termina la comida, los monitores de Cuarto menguante cumplen con su promesa.

—Los de Luna nueva vais a ayudar a los guardafaunas —explica Margarita.

—¡Qué bacano![9] —se le escapa a Diego.

Paco, Nuria, Clara y Florencia lo miran extrañados.

—Esa china[10] es muy bonita —les explica Diego.

—¿Eva? Un poco mayor para ti, ¿no? —comenta Nuria.

—¡Qué importa! Mi mamá también es mayor que mi papá.

—Chicos, ¿me estáis oyendo? —pregunta Margarita.

—Sí, sí, perdona —dice Clara.

—¿Y los de Cuarto creciente y Luna llena? —pregunta Nuria muy interesada.

—Ellos van a trabajar con nosotros.

«¡Qué pena!» —piensa Nuria.

....

[8] Carne asada: Argentina es famosa por la calidad de su carne y por una de sus maneras de prepararla: el asado.

[9] ¡Qué bacano!: Se usa en Colombia y quiere decir lo mismo que «chévere».

[10] China: En Bogotá, palabra coloquial para referirse a una mujer. Se dice «chino» para referirse a un hombre.

◀7   La estación biológica está cerca de Punta Tombo. La casa no es grande, pero hay un laboratorio y dos habitaciones para los guardafaunas, una cocina y un cuarto de baño.

Los luneros van todas las tardes a trabajar con los pingüinos, pero por la mañana hacen excursiones, van a la playa, se lavan la ropa y algunos días ayudan a preparar la cena.

Nuria, Clara, Florencia, Paco y Diego son inseparables y se entienden muy bien. Todos saben que Nuria suspira por Javier y Diego por Eva y les hacen bromas todo el tiempo.

Nuria y Javier se han hecho bastante amigos y Diego se queja de su mala suerte.

—¡Eva me mira como a un niño!

—Sos[1] un nene[2] —le contesta Florencia con aire superior.

. . . .

[1] Sos: En Argentina no se usa el pronombre «tú» sino el «vos». «Sos» es la 2.ª persona del verbo *ser*: «vos sos».

. . . .

[2] Nene: «Nene» y «nena» se usan mucho en Argentina. Son sinónimos de «niño» y «niña».

. . . .

Por un momento Diego la mira con odio, pero decide tomarse el comentario con un poco de humor.

—¡Vamos a ver el año que viene! —concluye.

Diego es pequeño y delgado para su edad, pero muy chistoso[3] y ocurrente.

—¡Qué bien! Mañana vamos a Puerto Pirámides —comenta Paco.

Puerto Pirámides es un pueblo que está en la Península Valdés. Tiene estupendas playas de arena y un mar cristalino. Entre junio y diciembre se pueden ver ballenas.

—¡A lo mejor vemos alguna! —dice Nuria.

—Eva dice que es un poco tarde —apunta Diego.

—¡Ah! Si lo dice Eva… —comenta Clara.

Todos estallan en una carcajada. En ese momento Nuria gira la cabeza y ve a Javier que está escondido detrás de un árbol y le hace señas.

—Perdonad, voy al servicio un momento —comenta Nuria.

Nuria entra en la casa. No hay nadie porque están todos en el jardín, excepto Javier, que le ha seguido los pasos.

—Si te parece, mañana podemos dar un paseo juntos —propone Javier.

—Pero mañana vamos a Puerto Pirámides.

. . . .

[3] Chistoso: Divertido.
. . . .

—Claro, eso ya lo sé. Conozco el lugar como la palma de mi mano porque he estado otras veces… Y hay unos acantilados con vistas al mar…

—Vale, de acuerdo. ¿Cómo vamos a hacer?

—Al bajar del autocar, nos alejamos. No lo puede saber nadie. Es un secreto.

—Prometido —responde Nuria sonriendo.

Nuria está tan emocionada que apenas si puede concentrarse. Esa tarde les espera un trabajo duro porque hay dos nuevos pingüinos empetrolados y los guardafaunas no se explican por qué. Gendarmería declara que no hay barcos autorizados navegando en la zona.

—A lo mejor los barcos no están en la zona —propone Martín.

—No, no, el petróleo está muy fresco —explica Eva.

———— ∞ ————

A los pingüinos empetrolados hay que hacerles un chequeo médico antes de lavarlos. Los de Cuarto creciente y Luna llena les toman la temperatura y la apuntan en unas

VII

VIII

IX

X

100 puntos

fichas. Por lo general están deshidratados y con pocas vitaminas.

Después hay que lavarlos en agua con detergente.

—¿Quién mide la temperatura del agua? —pregunta Martín.

—39° —contesta Florencia.

—Perfecto. Ahora los podemos bañar.

—¿Se van a recuperar? —preguntan los niños al final de la tarde.

—No sé, éstos están muy débiles —confiesa Eva.

A la mañana siguiente hay una gran agitación en la casa de Punta Tombo, como cada vez que los luneros se van de excursión. Hace un maravilloso día de sol y no hay ni una nube en el cielo.

Un autocar los espera a la salida para llevarlos a Puerto Pirámides.

—Nuria, ¿te sientas conmigo? —pregunta Clara.

—No, prefiero sentarme sola —responde Nuria, misteriosa.

Nuria está rara esa mañana. Ha desayunado sin sus amigos, no habla con nadie y ahora quiere viajar sola.

Durante el trayecto los monitores hablan con los luneros para contarles las actividades del día.

—No hay que alejarse del grupo —informa Margarita.

—Vamos a almorzar a las doce y media —dice Alejandro.

—Los de Luna nueva, los más pequeños, no pueden bañarse solos en el mar —anuncia Emilia.

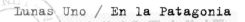

—Después del almuerzo vamos a reunirnos todos a la sombra para hablar de la Nochebuena.[1] Faltan sólo dos días...

Diego también prefiere viajar solo. Está triste porque Eva no está en el grupo y hoy no puede verla. Nuria escucha música, distraída, en su lector de MP3 y lee un libro, pero parece que está siempre en la misma página.

Una hora y media más tarde, el autocar para frente a una playa.

—Despacio, por favor —sugiere Margarita.

Los luneros están ansiosos por ir a la playa y corren todos hacia la puerta. Nuria se gira y mira a Javier, que le hace un gesto con la cabeza.

Clara, Florencia, Paco y Diego bajan y se reúnen con el grupo. El mar brilla bajo los rayos del sol y ya hay gente en la playa. Los cuatro monitores de Cuarto menguante empiezan a repartir crema con filtro solar para todos.

—Es importante —dice Alejandro.

—El agujero de la capa de ozono es muy grande en esta región —concluye Feliciano.

---

[1] Nochebuena: El 25 de diciembre se celebra la Navidad, es decir, el nacimiento del niño Jesús, pero la noche del 24 de diciembre, que se llama Nochebuena, la gente se reúne para cenar y esperar juntos el 25.

Nuria baja y se esconde detrás del autocar. Sabe que Javier también está escondido.

En el grupo reina una gran confusión y por eso nadie se da cuenta de que Nuria y Javier no están.

Nuria está esperando, algo nerviosa, y de repente siente la mano de Javier en la suya. Corren sin parar, en dirección contraria al grupo. Nadie los puede ver porque el autocar tapa la vista.

Corren hasta que están muy lejos del grupo.

—Estoy preocupada —confiesa Nuria—. Nos van a...

—¡No! No se van a dar cuenta. Y además para la hora del almuerzo vamos a estar de vuelta. Sólo quiero enseñarte un sitio...

Nuria se tranquiliza y ve con sorpresa que Javier y ella siguen andando de la mano.

VIII

IX

X

100 puntos

—Qué emoción —dice—. Vamos a ver ese sitio tan especial.

El paisaje es digno de admiración y muy romántico, piensa Nuria: acantilados[2] de color casi rojo, un mar muy azul y muy calmo, gaviotas que se posan en el agua para pescar y un chico muy muy guapo.

—Allí está —grita Javier, señalando con el dedo una especie de pozo.[3]

Están en el punto más alto y se puede ver todo lo que hay alrededor.

—Si nos sentamos aquí, nadie puede vernos —explica Javier.

—¡Y tenemos una buena vista! —exclama Nuria.

—La mejor —dice Javier—. Además es muy cómodo, porque la forma natural del hueco es como un sofá...

Javier salta dentro y extiende la mano para ayudar a Nuria. El sitio es realmente cómodo, aunque un poco estrecho para dos personas. Nuria siente que su corazón late a toda velocidad. Es la primera vez que está tan cerca de un chico que le gusta.

---

[2] Acantilados: Tipo de costa, alta y con rocas, cortada en vertical.

[3] Pozo: Hoyo profundo en el terreno.

9   Mientras Nuria y Javier disfrutan del paisaje y de la compañía, Clara, Florencia, Paco y Diego ya se han dado cuenta de que Nuria no está con ellos. Se han bañado en el mar y se preparan para construir un enorme castillo de arena y ganar el concurso. Cada grupo lunero tiene que construir uno.

—¡¿Dónde está?! —pregunta Clara angustiada.

—Un momento —dice Florencia—. Voy a ver una cosa.

Florencia lleva un bikini de color rojo y un pareo en la cintura. Se aleja un momento y busca con la vista a Javier. Nada, tampoco está en el grupo.

—Ya está. ¡Están juntos! —anuncia satisfecha.

—¿Quiénes? —pregunta Paco.

—Nuria y Javier —responde Clara impaciente.

—¿Se han fugado? —pregunta Diego.

—¿Hablamos con Margarita? —propone Paco.

—¡Estás loco! —le responde Florencia.

—¡Los van a matar! —comenta Diego.

En ese momento Margarita se acerca al grupo y mira la construcción del castillo.

—¿Dónde está Nuria? —pregunta.

—Está en el baño —responde Florencia con seguridad.

Los tres grupos de luneros trabajan sin descanso para construir el castillo más bonito. Son las doce menos cuarto y saben que quedan sólo 15 minutos. El castillo de Luna nueva es el mejor.

⸺⸺⸺∞⸺⸺⸺

Nuria y Javier siguen bajo el sol, admirando el paisaje, sin poder quitar los ojos del mar. Están en silencio y se sienten muy contentos.

—Nuria… —dice Javier.

—¡Mira, mira! —grita Nuria.

—¿Qué? ¿Dónde? —pregunta Javier sorprendido.

—¡Allí, allí! ¿Ves que hay algo en el mar?

—Sí, pero no veo qué es… ¡Ah! ¡Espera! —exclama entusiasmado.

Javier abre su mochila y saca unos prismáticos.

—Son pequeños, pero pueden ser útiles —comenta orgulloso.

Javier mira a través de los prismáticos.

—¡No puede ser!

Un barco enorme navega en alta mar. A su alrededor se ve una enorme mancha de color negro.

Le pasa los prismáticos a Nuria. Unos minutos más tarde, se gira hacia su amigo.

—¿Estás pensando lo mismo que yo? —pregunta Nuria.

IX

X

100 puntos

A las doce en punto los castillos están completamente terminados y llega el momento de elegir el mejor. Los monitores organizan la votación por grupos. Todos votan los castillos de cada grupo. El resultado es evidente y Luna nueva gana por mayoría. Hay aplausos y risas. Pero los cuatro amigos de Luna nueva están muy nerviosos: Nuria no aparece y va a ser difícil seguir disimulando. Margarita los observa y sospecha que algo extraño está pasando.

—Por favor, ¿dónde está Nuria?

En ese mismo momento Alejandro, el monitor de Luna llena está preguntando por Javier.

◄10 Nuria y Javier están tan emocionados por el descubrimiento que se quedan un rato en silencio.

—Tenemos que hablar con los monitores y los guardafaunas —propone Nuria.

—Sí, porque ese barco va a seguir empetrolando pingüinos —concluye Javier.

—¿Volvemos? —propone Nuria.

Javier mira el reloj. Son las doce y veinticinco.

—¡Es tardísimo! —exclama.

—Tengo miedo —confiesa Nuria.

Javier salta fuera del pozo y le da la mano a Nuria.

—Ahora tenemos que correr a toda velocidad. ¿Preparada?

—Sí, vamos.

────

Cuando llegan a la playa de Puerto Pirámides, cansados por la larga carrera, escuchan sus nombres a través de un megáfono.

—Nuria, Javier… —llaman las voces de los monitores.

Nuria y Javier se acercan, tímidos, al grupo de luneros.

—Estamos aquí —dice tímidamente Nuria.

—Queremos pediros disculpas[1] a todos —susurra Javier.

Nuria y Javier están arrepentidos porque se dan cuenta de que su huida ha causado gran preocupación.

—Hemos ido sólo a ver el mar —explica Nuria.

—Y hemos descubierto una cosa —añade Javier.

Margarita, Alejandro, Emilia y Feliciano están tan contentos de verlos vivos que no pueden decir nada.

—¿Qué habéis descubierto? —pregunta Paco para romper el hielo.

—¡Hemos visto el barco que empetrola los pingüinos!

Todos suspiran admirados. Nuria y Javier le cuentan al grupo lo que han visto.

—Hemos subido hasta allí arriba a ver el mar —empieza a contar Nuria.

—La culpa es mía —admite Javier—, porque se lo he propuesto yo.

—La culpa es de los dos, Javier. Bueno el caso es que mirando el mar con sus prismáticos, de repente ha aparecido un barco, muy a lo lejos.

....

[1] Pedir disculpas: Pedir perdón.

—Y una inmensa mancha negra alrededor —continúa Javier.

—Todo esto está muy bien —admite Margarita.

—Sí, pero después ustedes[2] y yo vamos a hablar… —concluye Alejandro.

—Ahora, vamos a comer —propone Emilia, mucho más tranquila.

―――∞∞∞―――

Al día siguiente Eva y Martín llegan muy temprano y les cuentan a los luneros que, gracias a las indicaciones de Nuria y de Javier, Gendarmería ha localizado el barco. Desde la costa resultaba muy difícil verlo, porque navegaba mar adentro, muy lejos de tierra firme. Se trata de una embarcación ilegal que además está contaminando el mar. Gendarmería no ha querido dar más información sobre la nacionalidad del barco, pero ha dicho que la nave tenía una avería y como estaban pescando sin permiso, no podían acercarse a ningún puerto para repararla. La tripulación está ahora en la comisaría; Gendarmería está haciendo su trabajo y el problema está solucionado. Además, los pingüinos enfermos se están recuperando bien.

Después de desayunar, Nuria y Javier hablan con los monitores y prometen no volver a escaparse. Se sienten culpables y héroes al mismo tiempo, porque gracias a ellos los pingüinos no van a empetrolarse más.

....

[2] Ustedes: En Hispanoamérica y en el sur de España y Canarias se usa el pronombre «ustedes» en lugar de «vosotros».

Los luneros tienen el día libre y durante la tarde, Nuria se sienta con sus amigos y les cuenta detalles de la aventura.

—¡Qué padre![3] —exclama Clara.

—¿Os habéis besado? —pregunta Paco.

—¿Y cómo es? —quiere saber Florencia.

—¿Son novios? —dice Diego.

Los luneros pasan el día haciendo cosas: limpian su habitación, lavan la ropa y decoran el árbol de Navidad. En Argentina se sigue la tradición europea del árbol, con decoraciones de globos de colores y de nieve, aunque también se celebran los Reyes Magos. El 5 de enero por la noche, los niños dejan sus zapatos y los reyes Melchor, Gaspar y Baltasar les llevan regalos. Para Paco, Nuria y Clara es bastante raro pasar una Navidad con calor. Y para muchos luneros es bastante raro pasar las Fiestas sin sus padres.

A las siete se reúnen para el sorteo de los regalos de Navidad.

—¡En esta bolsa hay papelitos con los nombres de todos vosotros! —explica Margarita.

—Y los nuestros también —dice Feliciano sonriendo.

—Cada uno tiene que sacar un papelito —continúa Emilia.

---

[3] ¡Qué padre!: Esta expresión se usa en México. Expresa algo positivo.

—Y la persona que os toca va a recibir un regalo vuestro para Navidad —continúa Margarita.

—Pero tiene que ser secreto. Cada uno de ustedes es el amigo invisible[4] de la persona que recibe el regalo —concluye Alejandro.

—¿Y dónde vamos a comprar los regalos? —pregunta Clara preocupada.

—Para hacer un regalo, no hace falta comprar nada —explica Margarita—. Sólo hace falta imaginación.

—De todas formas, mañana por la mañana vamos al pueblo —continúa Emilia.

Los luneros están emocionados y contentos.

—Despacio —dice Feliciano.

—Uno a uno —propone Emilia.

Los niños cierran los ojos, extienden el brazo y meten la mano dentro de la bolsa.

—Si a alguno de ustedes le toca su propio nombre, volvemos a hacerlo —dice Alejandro.

Cada uno de los luneros es el amigo invisible de otro lunero, y todos se quedan callados pensando en lo que van a regalar.

Nuria saca un papelito, se aleja un momento y lee el nombre. Salta de felicidad y lo rompe. ¡Qué más puede pedir!

....

[4] Amigo invisible: El amigo invisible es un juego muy difundido. Por lo general se juega en la escuela.
....

■ **Un poco de geografía.** Marca la opción correcta para cada pregunta:

1. **La capital de España es:**
   a. Barcelona
   b. Madrid
   c. Bilbao

2. **La capital de México es:**
   a. Cancún
   b. El D. F.
   c. Oaxaca

3. **La capital de Colombia es:**
   a. Caracas
   b. Bogotá
   c. Lima

4. **La capital de Argentina es:**
   a. Buenos Aires
   b. Río de Janeiro
   c. Santiago

5. **¿Cuál de estos países no está en América?**
   a. España
   b. Colombia
   c. Argentina
   d. México

6. **La Patagonia es:**
   a. un país
   b. una región
   c. un continente

7. **Cuando en el hemisferio norte es invierno, en el hemisferio sur es:**
   a. invierno
   b. otoño
   c. primavera
   d. verano

8. **La Patagonia es famosa por:**
   a. el oro
   b. la naturaleza
   c. las playas

9. **Cuando en Europa son las diez de la mañana, en América es:**
   a. la misma hora
   b. más tarde
   c. más temprano

■ Asocia las siguientes actividades con las siguientes palabras:

10. chatear	a. avión
11. jugar	b. televisión
12. estudiar	c. ordenador
13. viajar	d. colegio
14. comer	e. ciudad
15. dormir	f. carne
16. ver	g. mucho
17. vivir	h. ganar

■ Completa las siguientes oraciones con los verbos *hay*, *está* y *están*:

18. Argentina .... en el sur del continente americano.

19. La Península Valdés .... en la Patagonia.

20. En la Patagonia .... gran variedad de fauna marina.

21. Los pingüinos .... en Punta Tombo.

22. Puerto Madryn .... lejos de Buenos Aires.

23. En Puerto Pirámides .... playa.

■ Imagina que te vas de vacaciones a la Península Valdés en el mes de enero. ¿Qué vas a llevar en tu mochila?

24. camisetas – abrigo – pantalones cortos – gafas de sol .... ☐ Sí ☐ No

25. pantalones cortos – botas de esquí – traje de baño – linterna – gorro .... ☐ Sí ☐ No

26. camisetas – pantalones cortos – gafas de sol – traje de baño – bufanda .... ☐ Sí ☐ No

27. gafas de sol – pantalones cortos –
camisetas – traje de baño – linterna .... ☐ Sí ☐ No

■ Lee las siguientes palabras y expresiones y di a qué
país hispanoamericano pertenecen. Une con flechas
las dos columnas:

28. Chévere

29. Che   ARGENTINA

30. Milanesa

31. Bacano

32. Dulce de leche   COLOMBIA

33. Qué padre

34. Medialuna

35. Chino/a   MÉXICO

36. Vos

37. Cajeta

■ En esta lista están todos los países que correspon-
den a la nacionalidades de los personajes de Lunas.
Escribe los adjetivos correspondientes en masculino
y femenino:

Ejemplo: ARGENTINA > argentino > argentina

38. ESPAÑA > .... > ....

39. COLOMBIA > .... > ....

40. COSTA RICA > .... > ....

41. CHILE > .... > ....

42. MÉXICO > .... > ....

■ Conjuga el verbo en presente, pretérito perfecto o *ir a + infinitivo* según corresponda:

43. Javier .... *(conocer)* Puerto Pirámides porque ya .... *(estar)* antes.

44. A los 14 años, los chicos de Luna nueva .... *(pasar)* al grupo de Cuarto creciente.

45. Florencia .... *(querer)* conocer a chicos y chicas de otros países.

46. Clara .... *(tener)* hermanos mayores, pero Nuria .... *(ser)* hija única.

47. Paco, Diego, Clara y Nuria no .... *(viajar)* nunca a Argentina.

48. Para Navidad, Nuria le .... *(dar)* un regalo a Javier.

49. Nuria, Paco, Clara y Diego .... *(llegar)* a Buenos Aires en avión.

50. Los chicos no .... *(poder)* tocar los nidos de los pingüinos.

■ Completa con los pronombres correspondientes:

51. A Diego .... interesa la aventura.

52. A Nuria, Clara y Florencia .... encanta hablar.

53. Los luneros .... levantan pronto todos los días.

54. Cuando Javier .... guiña un ojo a Nuria, ... pone roja como un tomate.

55. «......... tenéis que proteger del sol» —anuncian los monitores.

56. Javier y Nuria .... arrepienten de haberse escapado.

■ ¿Qué sabes de los protagonistas? Completa la siguiente ficha. Quizás no puedas completarla toda, pero tienes que escribir al menos 4 características para cada personaje.

	Nacionalidad	Ciudad en la que vive	Edad
57. Clara			
58. Diego			
59. Florencia			
60. Nuria			
61. Paco			

	Descripción física	Carácter	Gustos y aficiones
57. Clara			
58. Diego			
59. Florencia			
60. Nuria			
61. Paco			

■ ¿Recuerdas los lugares de la novela?

62. Paco, Nuria, Clara y Diego aterrizan en ....

63. Florencia vive en ....

64. Cuando llegan, los luneros desayunan en ....

65. La casa y la reserva están en ....

66. Los luneros van a visitar un pueblo galés que se llama ....

67. Los luneros descubren un barco ilegal en ....

■ Completa las siguientes oraciones con *porque*, *pero*, *para* o *por eso*:

68. Florencia no viaja en avión .... vive en Argentina.

69. Los luneros viajan a la Patagonia .... trabajar con los pingüinos.

70. Hay un barco ilegal que echa petróleo en el mar, ... hay pingüinos empetrolados.

71. Los nidos de los pingüinos se pueden mirar, ... no se pueden tocar.

72. Los chicos se apuntan en Lunas .... les interesa la aventura.

73. Los monitores están enfadados con Nuria y Javier, ... no los castigan.

■ En cada serie de palabras hay un intruso. ¿Cuál es?

74. reserva – monitores – pingüinos – playa – avión

75. correo electrónico – chatear – castillo de arena – ordenador

76. desayuno – barco – autobús – avión

77. padre – amigo – madre – hermano – hijo único

78. desayuno – almuerzo – cena – bufanda

■ Responde verdadero (V) o falso (F) a las siguientes afirmaciones:

79. Lunas es una organización de padres. .... ☐ V ☐ F

80. Los protagonistas de Lunas son de diferentes nacionalidades. .... ☐ V ☐ F

81. Para participar en Lunas
sólo hay que pagar. .... ☐ V   ☐ F

82. Los luneros están divididos
en cuatro grupos. .... ☐ V   ☐ F

83. Nuria y Paco son españoles. .... ☐ V   ☐ F

84. Florencia es argentina, de Buenos Aires. ... ☐ V   ☐ F

85. Los luneros van de viaje a Argentina. .... ☐ V   ☐ F

86. Los luneros viven en un hotel. .... ☐ V   ☐ F

87. Los luneros viajan para hacer deporte. .... ☐ V   ☐ F

88. La reserva de pingüinos está
en Punta Tombo. .... ☐ V   ☐ F

89. En la reserva hay pingüinos
empetrolados. .... ☐ V   ☐ F

90. El cambio climático afecta
la vida de los pingüinos. .... ☐ V   ☐ F

91. A Nuria le gusta Javier. .... ☐ V   ☐ F

92. Los luneros visitan la reserva
con dos guardafaunas. .... ☐ V   ☐ F

93. Los luneros van a Puerto Pirámides
para salvar pingüinos. .... ☐ V   ☐ F

94. En Puerto Pirámides hay playa. .... ☐ V   ☐ F

95. Clara y Javier se escapan
y se alejan del grupo. .... ☐ V   ☐ F

96. Dos luneros descubren el misterio
de los pingüinos empetrolados. .... ☐ V   ☐ F

97. Gendarmería captura a los culpables. .... ☐ V   ☐ F

98. Los luneros celebran la Navidad
con sus familias. .... ☐ V ☐ F

99. Todos los luneros reciben
un regalo para Navidad. .... ☐ V ☐ F

100. El amigo invisible es un juego. .... ☐ V ☐ F

Más actividades

■ Completa tu ficha lunera. Imagínate que eres
un niño o niña de nacionalidad española o
hispanoamericana.

MI FICHA LUNERA

FOTO

Apellidos:

Nombre:

Grupo:

¿Tienes conexión a internet en tu casa?

Correo electrónico:

Tres razones para ser un lunero:

■ Habla con tu compañero/a y completa la ficha de tu amigo/a lunero/a. Recuerda cómo se formulan las preguntas. *¿Cómo te llamas?*, *¿Cuántos años tienes?*, etc.

FICHA DE MI AMIGO/A LUNERO/A

Apellidos:

Nombre:

País:

Grupo:

Ciudad:

Edad y grupo lunero:

Deportes:

Aficiones:

Actividades
para hacer con internet

■ ¿Qué actividades se pueden realizar en la Península Valdés?

a. buceo

b. montañismo

c. piragüismo

d. avistaje de ballenas

e. visita guiada para ver elefantes marinos

f. visita a la Isla de los Pájaros

g. esquí

h. visita a Gaiman, un pueblo galés.

Respuestas: a, d, e, f, h.

■ **Una visita a Gaiman. Busca información y rellena los huecos:**

a. Gaiman está a .... km de Trelew.

b. Los primeros galeses llegan a la Patagonia en el año
....

c. Gaiman está situada a orillas del ....

d. Sus monumentos más famosos son las ....

Respuestas: a. 17; b. 1865; c. río Chubut; d. capillas.

■ **Léxico: la torta galesa. Se llama también torta negra. Mira en internet y señala, de la siguiente lista, los ingredientes que incluye:**

- leche
- huevos
- harina
- polvo de hornear
- agua
- mantequilla o manteca
- peras
- azúcar moreno
- fruta abrillantada
- especias
- café
- chocolate

Respuestas: huevos – harina – polvo de hornear – mantequilla – azúcar moreno – fruta abrillantada – especias.

SOLUCIONARIO

1. ▶ b
2. ▶ b
3. ▶ b
4. ▶ a
5. ▶ a
6. ▶ b
7. ▶ d
8. ▶ b
9. ▶ c
10. ▶ c
11. ▶ h
12. ▶ d
13. ▶ a
14. ▶ f
15. ▶ g
16. ▶ b
17. ▶ e
18. ▶ está
19. ▶ está
20. ▶ hay
21. ▶ están
22. ▶ está
23. ▶ hay
24. ▶ No
25. ▶ No

26. ▶ No
27. ▶ Sí
28. ▶ Colombia
29. ▶ Argentina
30. ▶ Argentina
31. ▶ Colombia
32. ▶ Argentina
33. ▶ México
34. ▶ Argentina
35. ▶ Colombia
36. ▶ Argentina
37. ▶ México
38. ▶ español – española
39. ▶ colombiano –
colombiana
40. ▶ costarricense
41. ▶ chileno – chilena
42. ▶ mexicano – mexicana
43. ▶ conoce – ha estado
44. ▶ van a pasar
45. ▶ quiere
46. ▶ tiene – es
47. ▶ han viajado
48. ▶ da
49. ▶ llegan

50. ▶ pueden
51. ▶ le
52. ▶ les
53. ▶ se
54. ▶ le – ella – se
55. ▶ os
56. ▶ se
57. ▶ Clara: mexicana;
   D. F.; 12 años; le
   gusta dormir, mirar
   películas y leer
   novelas de aventura;
   es consentida.
58. ▶ Diego: colombiano;
   Bogotá; 11 años;
   le gusta escuchar
   música, hacer
   deporte y mirar
   televisión. Le gusta
   la naturaleza; es
   pequeño y delgado.
59. ▶ Florencia: argentina;
   Bahía Blanca; le
   gusta la naturaleza
   y la aventura; pelo
   castaño y ojos grises,
   está morena.
60. ▶ Nuria: española;
   Barcelona; 12 años;
   le gusta dibujar,
   escuchar música,
   salir con sus amigas

61. ▶ Paco: español;
   Madrid; moreno,
   pequeño; tímido.
62. ▶ Buenos Aires
63. ▶ Bahía Blanca
64. ▶ Puerto Madryn
65. ▶ Punta Tombo
66. ▶ Gaiman
67. ▶ Puerto Pirámides
68. ▶ porque
69. ▶ para
70. ▶ por eso
71. ▶ pero
72. ▶ porque
73. ▶ pero
74. ▶ avión
75. ▶ castillo de arena
76. ▶ desayuno
77. ▶ amigo
78. ▶ bufanda
79. ▶ F
80. ▶ V
81. ▶ F
82. ▶ V
83. ▶ V
84. ▶ F
85. ▶ V
86. ▶ F
87. ▶ F
88. ▶ V
89. ▶ V
90. ▶ V

91. ▶ V
92. ▶ V
93. ▶ F
94. ▶ V
95. ▶ F

96. ▶ V
97. ▶ V
98. ▶ F
99. ▶ V
100. ▶ V

■ **EVALUACIÓN**

¿Cuántos puntos has sacado? .... puntos.

ENTRE 80 Y 100 PUNTOS: ¡Enhorabuena! Has entendido muy bien la novela y has aprendido mucho español.

ENTRE 40 Y 79 PUNTOS: Analiza los errores y vuelve a leer la novela.

ENTRE 0 Y 39 PUNTOS: Lo siento, pero te recomiendo que leas nuevamente la novela.